JEUX DE PATIENCE
d'Abla Farhoud
est le cinq cent soixante-treizième ouvrage
publié chez
VLB ÉDITEUR.

La collection «Théâtre»
est dirigée par Marco Micone.

VLB éditeur bénéficie du soutien de la Société de développement des entreprises culturelles du Québec (SODEC) pour son programme d'édition.

Gouvernement du Québec – Programme de crédit d'impôt pour l'édition de livres – Gestion SODEC.

Nous reconnaissons l'aide financière du gouvernement du Canada par l'entremise du Fonds du livre du Canada (FLC) pour nos activités d'édition.

Nous remercions le Conseil des arts du Canada de l'aide accordée à notre programme de publication.

Abla Farhoud

Jeux de patience

du même auteur

Les filles du 5-10-15 ¢, théâtre, Carnières, Lansman, 1993.

Quand j'étais grande, théâtre, Solignac, Le bruit des autres, 1994.

Quand le vautour danse, théâtre, Carnières, Lansman, 1997.

Le bonheur a la queue glissante, roman, Montréal, l'Hexagone, 1998 ; Montréal, Typo, 2004.

Maudite machine, théâtre, Trois-Pistoles, Éditions Trois-Pistoles, 1999.

Splendide solitude, roman, Montréal, l'Hexagone, 2001.

Les rues de l'alligator, théâtre, Montréal, VLB éditeur, 2003.

Le fou d'Omar, roman, Montréal, VLB éditeur, 2005.

ABLA FARHOUD

Jeux de patience

vlb éditeur
Une société de Québecor Média

VLB ÉDITEUR
Groupe Ville-Marie Littérature
Une société de Québecor Média
1010, rue de La Gauchetière Est
Montréal (Québec) H2L 2N5
Tél.: 514 523-1182
Téléc.: 514 282-7530
vml@groupevml.com

Vice-président à l'édition: Martin Balthazar

Maquette de la couverture: Nicole Morin
Photo de la couverture: Josée Lambert
Photos de l'intérieur: Yves Renaud

Catalogage avant publication de Bibliothèque et Archives Canada

Farhoud, Abla, 1945-

    Jeux de patience

    (Collection Théâtre)

    ISBN 2-89005-659-7

    I. Titre.

PS8561.A687J48   1997   C842'.54   C97-940013-9
PS9561.A687J48   1997
PQ3919.2.F37J48   1997

DISTRIBUTEUR

MESSAGERIES ADP*
2315, rue de la Province
Longueuil (Québec) J4G 1G4
Tél.: 514 523-1182
Téléc.: 450 674-6237
*filiale du Groupe Sogides inc.,
filiale de Québecor Média inc.

Pour en savoir davantage sur nos publications,
visitez notre site: www.editionsvlb.com
Autres sites à visiter: editionstypo.com • editionshexagone.com

Jeux de patience
d'Abla Farhoud
a été présentée en lecture publique dans la Semaine
de la dramaturgie du CEAD
le 14 avril 1992
dans une mise en lecture d'Abla Farhoud, avec:
Micheline Lanctôt (Monique/Kaokab)
Kim Yaroshevskaya (La Mère)
Maude Guérin (Samira)
Éclairage et régie: Alain Roy

Jeux de patience
a été créée par le Théâtre de La Manufacture
en mars 1994
dans une mise en scène de Daniel Simard, avec:
Pol Pelletier (1e semaine) et Christiane Proulx
(2e semaine) (Monique/Kaokab)
Hélène Mercier (La Mère)
Maude Guérin (Samira)
et reprise
du 20 avril au 13 mai 1995, avec:
Christiane Proulx (Monique/Kaokab)
Hélène Mercier (La Mère)
Catherine Lachance (Samira)
Musique: Pierre Moreau
Bande sonore: Hélène Gagnon
Éclairage: Benoît Fauteux
Scénographie: Marc-Antoine Choquette

Game of patience
a été présentée en lecture publique au
Ubu Repertory Theater de New York
le 9 mai 1994
et au InterAct Theatre Compagny de Philadelphie
le 19 juin 1994
dans une mise en lecture de Jill Mac Dougall, avec:
Basha Raboy (Monique/Kaokab)
Jean Korey (La Mère)
Ana Ortiz (Samira)

Game of patience
a été présentée au Shattered Globe Theatre
de Chicago
en novembre 1995
dans une mise en scène de Lynn Ann Bernatowicz, avec:
Jane de Laubenfels (Monique/Kaokab)
Pamela Feldman (La Mère)
Michele Di Maso (Samira)

Jeux de patience
a été présentée en lecture publique au
Festival de Trois
le 12 août 1996
dans une mise en lecture de Lise Vaillancourt, avec:
Danielle Proulx (Monique/Kaokab)
Lise Roy (La Mère)
Isabelle Leblanc (Samira)

J'offre cette pièce à toutes celles et à tous
ceux qui ont perdu leur enfant, leur pays,
leurs rêves, le goût de la vie.
J'offre ces mots aux oublié-e-s et à tous
ceux et celles qui essaient d'oublier.
À ceux qui affrontent chaque jour,
chaque instant, le silence de la mort.
J'aurais aimé leur offrir un verre d'eau,
au moins un verre d'eau.

LES PERSONNAGES

MONIQUE/KAOKAB, environ 40 ans, romancière. Elle a immigré vers l'âge de 6 ans.

LA MÈRE, cousine de Monique/Kaokab, environ 40 ans, mère de famille. Elle vient d'émigrer de son pays.

SAMIRA, fille de la Mère, 15-16 ans.

L'ESPACE

Une mappemonde recouvre tout le fond de la scène. Des tiroirs sont placés aux endroits où il y a des guerres dans le monde. Onze ou douze tiroirs et même plus. Une bibliothèque se fond à ce décor. Monique/Kaokab occupe un très bel espace, côté cour: table de travail, plantes, un très beau coffre et un coin cuisine. La Mère (dans le premier tableau) est dans un tout petit espace vide délimité par la lumière seulement, à l'extrémité du côté jardin, au fond de la scène. Elle est assise sur une chaise berçante, dos au public, et se berce sans arrêt en serrant contre elle un petit tapis enroulé comme si elle tenait un enfant. Elle est vêtue d'une robe rouge. Samira est partout. L'action se passe de nos jours. Le pays en guerre dont il est question dans la pièce peut être n'importe quel pays. Il est suggéré de traduire les quelques mots arabes dans la langue qui conviendra.

I

*La salle et la scène sont plongées dans le noir
total pendant un long moment.
On entend le souffle et les pas de quelqu'un qui
court. Ces bruits viennent du fond de la salle.
Peu à peu, on voit Samira. Elle court, mais
n'arrive pas à avancer.
Des bras et des jambes sont attachés à ses bras
et à ses jambes. Des lambeaux de chair lui col-
lent à la peau. Elle essaie de les arracher, mais
n'y arrive pas. Un bébé pend à son cou.
On entend de la musique. Bruits de guerre et
musique confondus.
La musique s'amplifie.
Samira, avec une force inouïe, se projette en
avant. Elle court. Elle traverse la salle. Le bébé,
accroché à son cou, tombe. Samira se jette sur
lui, rentre les deux pouces dans sa gorge, le
bébé respire de nouveau. Elle le prend dans ses
bras et continue de courir.
Pendant ce temps, Monique/Kaokab reste clouée
sur sa chaise. Sa respiration est haletante, elle
n'arrive pas à reprendre son souffle. Elle se
lève d'un bond, jette violemment son jeu de
patience ouvert devant elle et marche comme
une lionne en cage.*

MONIQUE/KAOKAB

La patience a des limites. Grouille, Kaokab! Décolle! Bouge! «On peut tout essayer. Devant la mort, tous les risques sont faibles[1].» Écris, Kaokab!

> *Samira continue de courir. Elle fait le tour de l'arrière-scène. Elle entre dans les tiroirs et en ressort.*
> *La lumière monte lentement sur la Mère qui se berce, un petit tapis dans les bras. Elle est dos au public.*
> *Monique/Kaokab continue de marcher. Elle cherche son souffle. Ses yeux se posent sur le coffre. Elle marche lentement vers lui et l'ouvre. Elle en sort des objets, des vêtements, des photos qu'elle regarde avec émotion. Finalement, elle prend un tapis roulé et plié en deux. Elle le déroule, se couche dessus et parle en se roulant sur le tapis.*

MONIQUE/KAOKAB

Bayé[2], Mounir, Samir, Boulos, Kaokab, Amira, *immé*[3]. *(Avec la voix du père.) Nèmo ya wlèd, nèmo. Allah kbir*[4].
(Avec la voix de la mère.) Allah ma bi sakerha min kil el mayl. Byéfréja Allah[5].

---

1. Proverbe espagnol.
2. Papa.
3. Maman.
4. Dormez les enfants, Dieu est grand.
5. Dieu ne ferme jamais toutes les portes à la fois. Dieu est notre délivrance.

(Avec sa voix d'adulte.) On aurait pu dormir dehors. On avait un toit sur la tête. Dieu ne ferme jamais toutes les portes à la fois. L'hiver, on serait morts de froid. C'était l'été, *noushkor Allah* [6].

(Avec sa voix d'enfant.) Immé, je pensais qu'il y avait toujours de la neige, ici. J'aime beaucoup la neige, parce qu'on peut se rouler dedans, se lancer des balles de neige et avoir chaud chaud quand on rentre à la maison. J'aime encore plus l'été, parce que l'été, ça me fait penser à... C'est quoi le nom, *immé*? Ah oui, Bir-Barra... À Bir-Barra, on allait chercher du raisin dans le verger. Est-ce que tu vas en planter, des raisins, *bayé*? Je pourrais aller en chercher comme à Bir-Barra et en manger autant que je veux. Y aura plus de différence. Ça serait tout pareil.

(Avec la voix du père.) Ça ne sera jamais pareil, même avec le verger. Ça ne sera jamais notre pays.

(Avec sa voix d'enfant.) Bayé, quand on aura notre verger, ce sera notre pays, hein, *bayé*?

(Avec la voix de la mère.) Jamais, Kaokab, jamais. Ça ne sera jamais notre pays.

> *Elle ferme les yeux et s'endort.*
> *Un temps.*
> *Samira arrive sur la scène. Les lambeaux de chair, les bras et les jambes pendent encore à son corps, mais elle n'essaie plus de les enlever. Le bébé dans les bras, elle marche très lentement, regarde droit devant elle, la tête haute, sans peur. La musique et les bruits de guerre s'amplifient. Samira reçoit une décharge et tombe sur le corps de Monique/Kaokab endormie. Monique/Kaokab se réveille en criant. Les yeux de Samira sont fixés sur elle.*

---

6. Merci, mon Dieu.

La Mère

Ya waladé... ya waladé... ya waladé [7]*...*

> *Samira disparaît.*
> *Monique/Kaokab se précipite vers sa table en*
> *rampant.*

Monique/Kaokab

(Elle écrit à grands traits.) Elle court
des corps s'empilent
à moitié morts à moitié vivants
elle enjambe les barricades de corps
elle ne cherche pas
la musique l'appelle
elle suit les sons
elle s'approche
le bébé tombe
elle le prend dans ses bras
lui redonne la vie
elle veut mourir vivante
elle ne court plus
elle ne court plus
elle marche
des tiroirs se ferment
des tiroirs s'ouvrent
elle marche... elle marche...

> *Noir*

---

7. Ô mon enfant.

II

Samira réapparaît. Elle a repris une allure
normale. Elle porte un jean et un t-shirt blanc.
Elle est juchée très haut sur une balançoire.
Monique/Kaokab est en train d'écrire. Elle se
frotte souvent l'estomac et la poitrine, se lève
parfois, marche, va boire un verre d'eau,
regarde Samira, revient à sa table et écrit. Ses
expressions correspondent parfois à celles de
Samira.
On entend une chanson en langue arabe
chantée par Oum Kalsoum.

SAMIRA

(En se balançant.) Dans le ventre de ma mère, j'ai
appris à m'habituer, j'ai appris à chanter aussi. *(En*
chantant.)
Salam Ya Salam, ya albé
Salam ya Salam ya youni, ya rouhi
Salam Ya Salam, ya waladé [8]...
J'avais pas peur. Les obus qui éclatent, ça fait pas peur,

---

8. Salam ô Salam, mon cœur, mes yeux, mon âme, mon enfant.

quand ta mère te parle doucement à l'oreille en chantant.

C'est la meilleure méthode pour apprendre à compter. Même en chantant, ma mère n'arrêtait jamais de compter. C'est ça qui est important. Si tu fais pas attention, si tu chantes sans compter pendant que les bombes sont en voyage d'affaires au-dessus de ta tête, *just too bad*... Un seul coup suffit. Sans tête, tu ne peux plus ni compter ni chanter.

Des fois, c'est plus facile.

Ma mère, elle, continue à compter. Elle compte les jours, les minutes, les heures, les mois, les années, les siècles.

Moi, j'ai plus besoin de compter. J'ai appris trop jeune, ça m'a écœurée.

De m'appeler Salam, aussi!

Y en avait trop de Salam! Toutes les mères avaient eu la même idée. Pas de chance, Salam, c'est le seul nom qu'on donne aux filles et aux garçons. Salam! *(Faisant le geste que l'on voit dans tous les films quand il y a un personnage arabe.) Salam aalaykom...* Que la paix soit avec vous! *(Elle rit.)* En première année, on s'est retrouvés des dizaines de Salamalakom dans la même classe. Oh! la belle tour de Babel! Remarquez que nous autres, on était habitués. À Babel, je veux dire.

En deuxième année, plus aucune Salam, plus aucun Salam! Ben quoi! C'est la seule chose qu'on pouvait changer, on l'a changée!

Ma tante Kaokab, elle aussi, a changé de nom. Pas pour les mêmes raisons. Elle, c'est parce qu'il y en avait pas assez, de Kaokab. Personne n'arrivait à prononcer son nom. Caobab, cacab, caca... En classe, un rien te fait rire... caca, pipi, crotte, lâcher un pet ou une bombe: les enfants croulent de rire. À l'école, on n'a pas besoin de grand-chose pour mourir de rire, encore moins que dans la vie, alors, Kaokab est devenue... Monique. Mo-ni-que! Ç'a rien à voir avec Kaokab! Ils auraient pu se forcer un peu. Même pas les mêmes initiales! Moi au moins, Salam Samira!

C'est peut-être pour ça que ma tante Monique/Koakab ne rit pas beaucoup. Mais non, mais non, je niaise... Elle ne rit pas parce que c'est difficile de rire toute seule. J'en sais quelque chose.

Pleurer, c'est facile, mais rire, on a l'air fou! Combien de personnes ont été enfermées parce qu'elles riaient toutes seules! S'il fallait enfermer tous ceux qui pleurent tout seuls, y aurait plus de place dans les asiles. D'où je viens, y a plus une asile...

MONIQUE/KAOKAB

Un ou une asile?... La ville est devenue un...

SAMIRA

La ville est devenue un...

MONIQUE/KAOKAB

Un *open house.*

SAMIRA

Un *open house.* Une immense asile à ciel ouvert à la grandeur du pays, du continent, *(avec une voix de radio)* du tiers monde dans son ensemble! *(En se moquant.)* Le tiers monde, c'est comme ça qu'ils nous appellent, en Occident! Est-ce que ça veut dire qu'on est le tiers du monde ou bien que chacun qui vit là-bas vaut le tiers d'une personne?

> *Monique/Kaokab cesse d'écrire. Elle range ses papiers, son jeu de cartes et roule son tapis.*

SAMIRA

Oh, oh! Ses jeux de patience ne font plus d'effet! Des fois, il faut plus que de la patience. Le problème, avec ma tante, elle s'en fait trop. Elle ne rit pas assez. Elle ne pleure pas non plus, alors ça reste pris dans sa gorge. Elle ne sait pas encore que, vu d'ici, pleurer et rire, c'est la même chose. Sauf que le temps passe plus vite quand on rit. Même ici. J'sais pas pourquoi...
Ma mère, elle... pleure par habitude, comme avant elle riait par habitude. C'est moi qui la faisais rire, faut dire...
Ma tante... tellement orgueilleuse! Elle pense toujours qu'elle peut tout faire toute seule! Je le savais, je le savais, elle a besoin de ma mère!

> *Monique/Kaokab se dirige vers la Mère. Elle arrête doucement la chaise berçante, la fait pivoter. Monique/Kaokab, derrière la chaise, serre tendrement la Mère dans ses bras, un long moment. La Mère ne manifeste aucune surprise, comme si elle l'attendait.*

LA MÈRE

Kaokab, dis-moi, est-ce que ma fille serait morte si nous avions pu nous enfuir avant? Est-ce que Samira serait encore vivante, si mon ventre avait été assez grand, si mes bras avaient été assez longs?

MONIQUE/KAOKAB

Ma baaref, ya oum Samira, ma baaref[9], je ne sais pas...
Viens!

> *La Mère se lève. Monique/Kaokab prend la
> chaise berçante et marche vers son espace. La
> Mère la suit avec son tapis dans les bras.
> Samira les dépasse en faisant quelques pi-
> rouettes.*
> *La Mère est installée sur sa chaise.*
> *Monique/Kaokab prépare un café turc.*
> *Samira rôde autour de Monique/Kaokab.*

LA MÈRE

Je t'en supplie, arrête cette musique.

> *Monique/Kaokab éteint la musique. Elle ap-
> porte un plateau avec deux petites tasses de
> café, la cafetière, un verre d'eau et des dragées
> aux amandes. Elles boivent en silence.*

MONIQUE/KAOKAB

Tu... tu... vas être bien, ici.

LA MÈRE

Parfois, je m'ennuie de la musique des bombes.

---

9. Je ne sais pas, ô mère de Samira, je ne sais pas.

MONIQUE/KAOKAB

Ma mère disait: «Le chien se dresse, l'humain s'habitue.»

LA MÈRE

Aucun chien n'a vécu ce que nous avons vécu. On les attachait, pourtant. Ils s'enfuyaient quand même.

MONIQUE/KAOKAB

Les animaux... ont le sens de la vie... *(Elle respire difficilement.)* Les humains le perdent parfois, le perdent... souvent... Je veux écrire... une histoire qui parle de ça... Ça fait longtemps que... je...

LA MÈRE

Tu écris, toi?

MONIQUE/KAOKAB

Oui...

LA MÈRE

Des livres?

MONIQUE/KAOKAB

Oui.

LA MÈRE

Beaucoup?

MONIQUE/KAOKAB

Oui... *(Qui veut dire pas assez.)*

LA MÈRE

Pourquoi tu n'es pas venue nous voir? Ça t'aurait fait un beau livre!

MONIQUE/KAOKAB

C'est... pas les sujets qui manquent, tu sais.

LA MÈRE

Tu avais peur?

MONIQUE/KAOKAB

Le... mot est un peu faible.

LA MÈRE

Tu avais peur de mourir?

MONIQUE/KAOKAB

Beaucoup plus que ça...

LA MÈRE

Qu'est-ce qui peut être pire que la mort?

MONIQUE/KAOKAB

Je ne voulais pas... mourir avant de... avant d'... *(D'un souffle.)* Je voulais choisir ma mort.

LA MÈRE

Choisir ta mort! Dans quel monde je suis tombée! Choisir sa mort?! Est-ce que Samira a choisi sa mort? Hein, dis-le-moi, toi qui penses puisque tu écris: est-ce que Samira et des millions d'autres comme elle ont choisi leur mort?

MONIQUE/KAOKAB

Je... sais pas.

LA MÈRE

Tu dis des insanités et, après, tu dis: je sais pas. Tes livres doivent être drôles à mourir.

Elles boivent leur café en silence.

LA MÈRE

Ça fait 64 jours que je suis dans ce pays.

MONIQUE/KAOKAB

Et moi plus de 30 ans.

LA MÈRE

C'est la première fois que je sors de la maison...

MONIQUE/KAOKAB .

Pendant 15 ans, les premiers 15 ans, ma mère n'a pas vu la couleur du ciel, ni partagé un café en bavardant, ni même un verre d'eau... Je me demande comment elle a survécu.

LA MÈRE

Elle s'est habituée. On s'habitue au pire et après on s'en ennuie...

MONIQUE/KAOKAB

(Avec un sourire triste.) Toi... au moins... tu sais lire et écrire... tu sais parler.

LA MÈRE

Savoir une langue ne veut pas dire être capable de parler. Je n'ai pas encore parlé. Je ne sais même pas le nom de ce pays.

MONIQUE/KAOKAB

Ce pays n'a pas encore choisi son nom.

LA MÈRE

Ne pas choisir son nom, ne pas avoir de nom, n'est-ce pas mieux que de le perdre dans le carnage? Samira ne répondra plus jamais à son nom, mon pays n'a plus de nom, je n'ai plus de pays, je n'ai plus d'enfants.

MONIQUE/KAOKAB

(Essayant de la calmer.) Tu es ici, maintenant, loin, très loin... Tu seras bien, ici... Ici, les conflits sont moins sanglants et s'oublient sous la neige, ici, la patience... est encore une vertu... Tu seras bien, ici, si tu arrives à oublier.

LA MÈRE

Jamais!

Elles boivent leur café en silence.

LA MÈRE

Pourquoi es-tu venue me chercher?

MONIQUE/KAOKAB

Je... sais plus comment... écrire. C'est la première fois que... je...

LA MÈRE

Tu écris tous les jours?

MONIQUE/KAOKAB

Comme toi tu donnes à manger à tes enfants.

LA MÈRE

Parfois, nous n'avions rien à manger.

MONIQUE/KAOKAB

Ça fait 64 jours que je n'arrive pas à écrire.

LA MÈRE

Ça ne fait pas mourir.

MONIQUE/KAOKAB

Tu crois?

LA MÈRE

J'en suis sûre!

MONIQUE/KAOKAB

Il y a... plusieurs façons de mourir...

LA MÈRE

Une seule est définitive.

Elles boivent leur café en silence.

LA MÈRE

Ça fait un siècle que Samira est morte, 429 jours, à 4 heures.

MONIQUE/KAOKAB

Il est quatre heures moins cinq.

LA MÈRE

Je sais. Sans regarder la montre, je sais... *(Avec une lueur indescriptible dans les yeux.)* Je sens son souffle... son dernier souffle... J'ai déchiré ma robe pour lui faire un pansement, elle respirait encore...

MONIQUE/KAOKAB

(Comme pour elle-même.) J'ai déchiré ma robe pour lui faire un pansement, elle respirait encore... La chaleur de son souffle...*(Un temps.)* Samira avait 15 ans quand elle a...

LA MÈRE

Elle a 16 ans, 2 mois, 3 jours... Je me suis... tellement battue... pour vivre... pour que mes enfants... vivent... pour que nous restions vivants... vivants...

MONIQUE/KAOKAB

(Respiration difficile.) Tu as tes autres enfants, *noushkor Allah,* tu as tes autres enf...

LA MÈRE

(Elle éclate.) Ah non! Pas toi aussi! Trente ans de vie à l'étranger et tu dis encore *noushkor Allah,* merci mon Dieu, comme ceux qui voient le sang couler à côté d'eux, et même sur eux. Quand ils peuvent encore respirer, ils disent *noushkor Allah.* Ils s'habituent au pire, et le pire finit par arriver parce qu'ils s'y habituent. *Noushkor Allah, byéfréja Allah,* tout est écrit dans le

Grand Livre, nous l'avons bien mérité, nous avons tant de péchés à expier! Quels péchés? Le péché d'être né là-bas plutôt qu'ici? Est-ce qu'on choisit sa naissance? Toi qui veux choisir ta mort, as-tu choisi ta naissance? Un autre beau sujet de livre! Tu as tout oublié de ta langue maternelle, sauf ce mot de sucre blanc. Je ne veux plus l'entendre. Surtout pas de toi!

MONIQUE/KAOKAB

Pardonne-moi, quand... on ne sait pas quoi dire, on dit des banalités...

LA MÈRE

Garde-les pour tes livres! Un mot exotique dans un texte français, ça fait bien!

Monique/Kaokab ressert du café. Elles boivent en silence.

LA MÈRE

Peut-être qu'ils ont raison. Je ne suis pas seule. Ici, je ne manque de rien. J'ai mes enfants. Quatre enfants en bonne santé. Mais dis-moi, Kaokab, est-ce qu'une bouche peut remplacer un œil, est-ce qu'un cœur peut prendre la place d'une oreille, est-ce qu'un nez peut marcher, peut rire, peut danser? Mes enfants sont autour de moi, ils me retiennent, c'est vrai, ils m'empêchent de sauter de l'autre côté. S'ils étaient morts tous à la fois, le trou aurait été aussi grand, le vide aussi immense. Mon âme s'est envolée avec son dernier souffle.

MONIQUE/KAOKAB

Tu seras bien ici, *ya oum* Samira[10]...

LA MÈRE

Oui... Oui... je n'entends plus les bombes, j'entends juste la neige, la neige, le bruit de la neige. J'ai toujours aimé la neige, la carte postale que mon oncle Walid m'a envoyée quand j'étais petite, je l'ai montrée à toutes mes amies, à l'école. Après, je l'ai collée sur le miroir du buffet, au salon, elle était plus belle que toutes les autres... *(Une lueur indescriptible dans les yeux.)* Je ne sais plus où elle est... je ne sais plus où elle est... sous la chaleur des bombes, sous la froideur de la neige. Samira... Samira, as-tu chaud, *ya albé*? As-tu froid, *ya rouhé*? As-tu faim, *ya youni*[11]? Nous avons beaucoup à manger maintenant, l'eau coule du robinet, en abondance, il y a autant d'eau chaude que d'eau froide, tu peux prendre autant de douches que tu veux, même un bain, tu peux ouvrir la lumière, toutes les lumières, écouter autant de musique que tu veux, voir tous les films que tu veux, prendre des cours de cinéma, on est plus obligés de se sauver, de changer de quartier, de ville, de pays, on est tranquilles ici, tu pourrais rentrer et sortir à l'heure que tu veux, faire les films que tu veux, ici, il n'y a plus de danger, il n'y a plus de danger, il n'y a plus de danger, ici il y a la neige, la neige...

Elles boivent leur café en silence.

---

10. Ô mère de Samira.
11. Mon cœur, mon âme, mes yeux.

MONIQUE/KAOKAB

Comment vont tes frères et sœurs?

LA MÈRE

Nous sommes éparpillés. Des feuilles au vent. Des orphelins. Chacun est parti où il pouvait. Mes parents sont restés là-bas. Nous savoir en sécurité leur suffisait...

MONIQUE/KAOKAB

Et le fils de ton oncle?

LA MÈRE

Tu me fais rire. Tu as gardé des expressions anciennes qui ne se disent presque plus. Tu veux dire mon mari?... Depuis que Samira est partie, je n'ai plus de mari, mais un père pour mes enfants. Un très bon père. Il est resté là-bas, dans un pays voisin. Enfermé dans une chaleur invivable. Il meurt à petit feu pour que ses enfants puissent continuer à vivre... Il téléphone parfois, les enfants lui parlent l'un après l'autre, pas trop longtemps. Après c'est à mon tour, il me demande: «Ça va?» Je lui dis: «Ça va et toi, ça va?» «Oui, ça va.» Je lui dis: «Est-ce que tu as vu Samira?» Il me dit: «Oui, j'ai vu Samira.» Trop de choses à dire ou rien, c'est pareil. Lui, il termine toujours en disant: *«Noushkor Allah,* on est vivants, c'est ça l'important.» Moi non. Ça reste pris dans ma gorge. La dernière fois que j'ai dit merci mon Dieu, Samira respirait encore.

Noir

III

Monique/Kaokab est appuyée à la bibliothè-
que. Elle est complètement absorbée dans ses
pensées. Sa respiration est difficile.
Samira est quelque part dans le théâtre.

SAMIRA

Un jour, on ne sait pas pourquoi, on n'en peut plus. On
n'en peut plus, c'est tout! On arrive plus à respirer... Je
voulais respirer.

MONIQUE/KAOKAB et SAMIRA

On ne peut pas être libre et enfermé, jeune et vieux,
mort et vivant en même temps.

MONIQUE/KAOKAB

En même temps…

SAMIRA

Je ne demandais pas la lune, je voulais juste la paix. Ne
plus me laisser régimenter. Dormir dans ma chambre

quand je voulais, sortir quand je voulais, voir mon amie Amal autant que je voulais, et mes autres amies. C'est quand même pas trop demander, ça! Je ne m'attendais pas à recevoir une auto pour mes 16 ans, ni une caméra vidéo en attendant ma vraie caméra, non. Je voulais seulement pouvoir prendre un bain, aller voir un film quand je voulais. Pas seulement quand il y avait une accalmie. Les jours d'accalmie, on ne savait plus où donner de la tête. Des fous relâchés de l'asile, des prisonniers qui s'évadent.

Je ne voulais plus qu'on me dise quoi faire et surtout pas quand le faire. Je voulais être libre.

Un jour, on était dans l'abri. Ça nous changeait un peu de l'extérieur! La plupart du temps, c'était plutôt drôle. La consigne, c'était de ne pas ouvrir toutes les radios en même temps. Chacun avait son quart d'heure. Arrivé à mon tour, il y avait la chanson de Bob Dylan que j'aimais beaucoup: *(dit, puis chanté) How many years a man must live before they call him a man...* C'était comme si je l'entendais pour la première fois... J'ai vu toute notre vie en *zoom out. How many years... How many stairs a man should climb...* J'avais envie de vomir, de chier, de mourir, et je n'arrivais plus à respirer. Tout ça en même temps.

J'ai quand même réussi à faire rire tout le monde.

Ma mère a tendu un drap pour me cacher, que je puisse faire tout ça en paix dans la chaudière déjà pleine. Elle riait tellement que tout le monde a vu mes fesses... Un derrière nu... Bof!... Ça change pas grand-chose... Maintenant, je le sais...

Ma mère a toujours tout fait pour me protéger. Les mères sont comme ça. Cette fois-là, elle riait trop mais, la plupart du temps, elle mettait ses mains devant mes yeux pour que je ne voie pas.

Elle ne pouvait pas me boucher les oreilles!

On était collés les uns sur les autres et on comptait.
C'était devenu un jeu. Un jeu de société. C'était plai-
sant. Je pensais que tout le monde dans le monde
vivait comme ça. À mesure que j'ai grandi, j'ai com-
mencé à comprendre. Tssss, na, na, na! Ça ne pouvait
pas être ça, la vie. Les films m'ont beaucoup aidée à
voir clair, à voir les différences. Mes parents voulaient
partir, émigrer, s'exiler, quoi! mais ils n'y arrivaient pas.
C'est pas juste qu'ils n'avaient pas assez d'argent...
Byéfréja Allah... byéfréja Allah... qu'ils se répétaient.
Pour y croire. Après chacune des chiasses qui nous
venaient du ciel, ils pensaient toujours que c'était la
dernière! Ouah! Mes parents viennent de la montagne,
les pauvres! Ils pensent que le jour vient après la nuit,
que le fruit tombe quand il est mûr, que le soleil vient
après la pluie, que le printemps vient après l'hiver...
C'était peut-être comme ça dans leur temps! J'ai vu
beaucoup d'amis partir. Pas mourir. S'exiler. Mourir
aussi, j'en ai vu... beaucoup... Nous, on n'a pas réussi... L'argent, ça aide, quand on veut partir... Ça aide
même beaucoup... Si, au moins, on avait pu prendre
des vacances comme les riches, en attendant... *(Imi-
tant une riche chichiteuse et mondaine.)* Au revoir,
mes chéris! Ce bruit infernal... intenable! Et tous ces
morts... ça me donne le cafard... *Bye darling! You're
so cute! Dead or alive is the same for you, isn't it, dear?
Ciao. (Elle souffle un baiser.)* Mon amie Amal, elle non
plus, n'avait pas d'argent pour partir. Ses parents,
aussi poires que les miens... bourrés d'espoir... On est
restées ensemble plus longtemps... Je ne sais pas si
Amal l'a fait exprès... Je ne sais pas... On pense toujours qu'un jour on aura la réponse...

Monique/Kaokab

... On pense toujours qu'un jour on aura la réponse...

Monique/Kaokab fixe longuement la Mère.

La Mère

Tu me regardes comme si tu voulais m'avaler!

Monique/Kaokab

Ce petit tapis... Tes yeux d'intraterrestre...

La Mère

Quoi? Qu'est-ce qu'ils ont, mes yeux?

Monique/Kaokab

Depuis le jour où je t'ai vue à l'aéroport avec tes quatre enfants et ce petit tapis que tu tenais tellement serré... Depuis ce jour-là... je n'arrive pas à m'en débarrasser...

La Mère

Pourquoi tu veux t'en débarrasser?

Monique/Kaokab

C'est juste une façon de parler... Je veux... je veux... Ça fait 15 ans que je veux écrire là-dessus...

LA MÈRE

Écrire sur mes yeux et sur le tapis! Ça va être un beau livre!

MONIQUE/KAOKAB

Pourquoi je te parle de ça? Ça ne t'intéresse pas, de toute façon.

LA MÈRE

Tu as raison, ça ne m'intéresse pas. *(Un temps.)* Si tu arrivais à faire revivre les yeux de Samira, ne serait-ce qu'une minute, je te dirais oui, sinon...

MONIQUE/KAOKAB

Je ne suis pas magicienne, ni *éfrita,* ni *djinnia.*

LA MÈRE

Aafrité, génnié, tu en connais, des mots rares! Je pensais que tu ne te souvenais que de *noushkor Allah.*

MONIQUE/KAOKAB

Je lis *Les Mille et Une Nuits* en ce moment. Il y a des mots intraduisibles.

LA MÈRE

(Elle rit.) Si j'arrivais encore à rire, je rirais! Tu apprends notre langue à travers une traduction des *Mille et Une*

Nuits! C'est le «fun à mort» comme diraient mes enfants! Tu vois, ils n'ont pas perdu de temps; ils reviennent tous les soirs avec des expressions nouvelles... Pendant que moi, je regarde la neige, et que toi, tu lis *Alf Layla wa Layla*[12], en français, mes enfants emmagasinent une culture étrangère qui deviendra leur culture. Rien à voir avec moi, ni avec leur père, ni avec leurs grands-parents. Ils vont tout oublier...

MONIQUE/KAOKAB

Les marques de l'enfance sont indélébiles.

LA MÈRE

Ils vont oublier quand même... Le sang ne se change pas en eau, disaient les vieux. Il ne se change pas, non, il se dessèche et meurt. Qu'est-ce qu'il te reste à part le taboulé? La mémoire du ventre est tenace, mais pour le reste?!

MONIQUE/KAOKAB

Je connais une chanson que ma mère chantait en pleurant; je connais des mots: *charaf, haram, maalech, boukra, noushkor Allah, lèch, ma baaref, bledna, badi ekol, badi nèm, badi maï, badi mòut*[13]...
Je connais l'odeur de la terre, l'odeur de ma mère, la solitude de ma mère. Rien d'autre. Rien. J'ai tout appris

---

12. *Les Mille et Une Nuits.*
13. Honneur, interdit, ce n'est pas grave, demain, merci mon Dieu, pourquoi, je ne sais pas, notre pays, je veux manger, je veux boire, je veux dormir, je veux mourir.

ici. Ici, j'ai appris l'hiver comme on apprend le calcul, avec des doigts gelés. J'ai appris à disparaître, à me fondre, à oublier. Je gagne ma vie dans une langue empruntée, une langue où je ne peux pas crier. Les cris n'ont pas le même son. Ni la plainte... Ce qui me fait pleurer les fait rire, ce qui les fait pleurer me fait rire. Je me suis adaptée, j'ai réussi, j'ai écrit ce qui leur plaît, les droits d'un seul de mes livres feraient vivre au moins trois villages d'Afrique ou d'Asie.

J'ai écrit la surface des choses. Pour endormir, pour bercer, pour plaire. J'ai écrit pour m'endormir, pour oublier. J'ai écrit en repoussant ma mémoire dans le fond de mon ventre.

J'ai emprunté une langue et j'ai prêté mon âme.

J'ai vécu entre le déchirement de la mémoire et le déchirement de l'oubli.

La Mère

J'ai froid, Kaokab, j'ai froid.

Monique/Kaokab apporte une couverture et couvre la Mère avec tendresse. La Mère ferme les yeux.

Noir

IV

On entend de la musique. Bruits de guerre et musique confondus.
La Mère dort d'un sommeil agité. Elle parle dans son sommeil, mais on n'entend pas ses paroles.
Monique/Kaokab est en train d'écrire. Son jeu de patience est ouvert devant elle.
La musique s'amplifie.
Des tiroirs s'ouvrent. On voit des bras, des têtes, des jambes. Les tiroirs se ferment. Des tiroirs s'ouvrent. Des yeux, des cœurs, des intestins.
Un tiroir s'ouvre. On voit le visage de Samira, tête renversée sur le rebord du tiroir. Elle change de tiroir.
Le sang coule des tiroirs.
Monique/Kaokab cesse d'écrire. Sa respiration est haletante. Elle se lève, marche jusqu'au tapis roulé et le frappe à grands coups de pied.

MONIQUE/KAOKAB

Pourquoi? Pourquoi? Pourquoi? Je dirai «pourquoi» jusqu'à la fin des temps, jusqu'au jour où ma langue séchera dans ma bouche. Pourquoi elle, pourquoi lui, pourquoi Beyrouth, pourquoi eux, pourquoi ce bébé, pourquoi Bethléem, pourquoi cet enfant, pourquoi Bir-Barra, pourquoi notre village, pourquoi notre quartier, pourquoi notre ville, pourquoi Babylone, pourquoi notre pays? Pourquoi notre planète?

Je dirai «pourquoi, pourquoi, pourquoi» jusqu'à ce que mon gosier éclate, et personne ne me répond... Et personne ne me répondra...

Et je veux écrire! Je veux écrire! Calice d'hostie de tabernacle!

> *Monique/Kaokab prend de grandes respirations, puis elle va vers la Mère et la réveille. La Mère sursaute.*

MONIQUE/KAOKAB

N'aie pas peur, c'est moi... Mariam, Mariam, est-ce que tu te souviens du dernier repas qu'on a pris ensemble?

LA MÈRE

Quand tu es venue nous rendre visite, il y a plus de 20 ans?!

MONIQUE/KAOKAB

Où est-ce que c'était, exactement? Je me rappelle plus où...

LA MÈRE

Dans un restaurant, au bord de la mer, à Bir-Baroud. On était une vingtaine. Il y avait une petite brise, la lune, la mer à nos pieds... Une centaine de petites assiettes toutes plus belles les unes que les autres... Tu te souviens, tu voulais goûter à tout? Tu disais: «C'est le paradis! Mangez, mangez... Ça va se perdre, ça va se perdre!»

MONIQUE/KAOKAB

... Oui... oui...

LA MÈRE

Et tu fermais les yeux à chaque bouchée. Tu regardais la mer, tu regardais les montagnes et tu fermais les yeux... Tes yeux s'écarquillaient ou se fermaient...

MONIQUE/KAOKAB

Ça fait 19 ans!

LA MÈRE

Quand les vieux du village t'ont vue arriver, ils disaient: «*Kaokab bint Abou-Mounir*[14] nous a quittés presque jeune fille, elle nous revient aussi jeune. Rajeunir au lieu de vieillir, ça doit être une invention américaine! Ça ferait peut-être du bien à nos vieilles peaux.»

MONIQUE/KAOKAB

Je suis partie petite fille, je suis revenue 13 ans après. Je ne pourrai pas faire comme le saumon qui retourne

---

14. Kaokab, la fille du père de Mounir.

sur les lieux de sa naissance pour mourir. Le pays de mon enfance est mort avant moi. Il y a eu un barrage de feu... *(Pour elle-même.)* Si je n'arrive pas... à l'écrire... je mourrai avec lui...

LA MÈRE

«Encore une Américaine excentrique, qu'ils disaient! Tous les mêmes: ils partent, ils reviennent quelques années après, en touristes. Des étrangers! Ils sont pourtant nés ici, parmi les chèvres et les moutons, ils ont appris à marcher pieds nus sur notre terre... Ils font comme s'ils avaient tout oublié, leur langue, nos noms. Nous, on se souvient d'eux, mais eux ne se souviennent de rien!» C'est vrai, tu avais tout oublié, les convenances, les formules de politesse. Tu portais des shorts, tu marmonnais des phrases que personne ne comprenait... Tu sais très bien qu'aucun villageois ne sait parler d'autres langues que la nôtre. Et tu riais. Tu ne riais pas de nous, tout de même?!

MONIQUE/KAOKAB

Mais non, voyons! J'avais oublié ma propre langue. J'aurais pu pleurer, mais je riais... Ici, quand j'étais petite, c'était le contraire, je pleurais quand j'arrivais pas à comprendre. J'ai appris le mot «où» à l'âge de six ans.

Monique/Kaokab met la table.

LA MÈRE

On s'est bien amusés quand même. Juste à te voir renifler la terre, monter aux arbres, marcher pieds nus, boire l'eau de la fontaine du village, au lieu de l'eau de nos nouveaux robinets, te voir manger, jusqu'à te défoncer, des figues et des raisins de ton verger.

MONIQUE/KAOKAB

... Je savais que mon enfance était finie... que jamais plus je ne retournerais là-bas. Je savais... Je faisais l'amour pour la dernière fois... Je voulais...

LA MÈRE

Tu voulais tout faire, tout entendre, tout voir, tu te rappelles? On a été obligés de jouer les touristes avec toi, tu nous as épuisés... Et tu t'exclamais! Notre pays est beau, mais s'exclamer comme ça! C'était vraiment démesuré. *(Un temps.)* On pouvait aller partout, dans ce temps-là, on pouvait encore circuler...

MONIQUE/KAOKAB

Il fallait sa carte d'identité, je m'en souviens très bien, ça m'avait tellement frappée... j'avais jamais vu ça ici.

LA MÈRE

Mais on n'avait pas à la montrer! On la portait, c'est tout. Une formalité. La peur ne s'était pas encore installée. Toi, tu étais étrangère, ma cousine, oui, mais étrangère quand même, tu voyais tout ce qu'on ne voyait pas.

> *Elles mangent en silence. Samira marche sur le dessus de la bibliothèque. Monique/Kaokab la regarde parfois et sourit.*

SAMIRA

En plan éloigné, la vie des humains est pissante. Ils se prennent tellement au sérieux! Ayayaye! Depuis que ma tante a décidé de me prendre comme personnage et de voir avec mes yeux, ça va beaucoup mieux. Les humains, en gros plan!... Des fois, j'aime mieux regarder les fourmis ou les abeilles... même les mouches. Avant aussi, je trouvais ça drôle, la vie. Je me forçais un peu, faut dire. Pour rendre ça vivable. Je faisais le clown. J'aimais ça, parce que les gens aiment ça, rire. Tout le monde nous aime quand on les fait rire. Ici, j'ai plus besoin de me forcer. Je vois les meilleurs extraits des meilleurs films de Chaplin à chaque coin de rue et dans chaque maison, et dans chaque bureau, et dans tous les coins du monde où l'on se bat pour rien, et dans chaque église, dans chaque synagogue, dans chaque mosquée. Vous n'avez pas idée... à pisser de rire... Par exemple, juste l'affaire des religions. Eh bien! Les humains, faut toujours qu'ils se trouvent une raison! Si ça fait longtemps qu'ils se battent, ils oublient la raison, ils en trouvent une autre. Mais pendant qu'ils se trouvent une autre raison, y en a qui sont en train de se jeter, tête première, dans le feu, parce qu'ils y croient, eux, à la première raison... tsss, tsss! Vous devriez les voir errer, tsss, tsss! Ils ne savent même plus pourquoi ils sont morts. De pas savoir pourquoi on vit, passe encore, mais de pas savoir pourquoi on meurt, ça c'est triste. Mon amie Amal, je sais même pas si elle était catholique, maronite, druze, chiite, sunnite, copte, grecque orthodoxe ou juive orthodoxe. Je m'en souviens plus et je m'en fous... mais je me souviens de tout ce qu'on faisait ensemble, de tout ce qu'on n'arrivait pas à faire. Je me souviens de sa voix, de ses yeux qui avaient toujours peur, de ses rêves, des poèmes qu'elle écrivait, de ses rires quand je la faisais rire pour qu'elle s'arrête de pleurer. Chaque fois, je pensais qu'elle allait s'étouffer à force de rire et de pleurer en même temps... mais c'est pas comme ça qu'elle est morte... C'est imprimé à jamais dans la prunelle de mes yeux...

> *Monique/Kaokab et la Mère mangent en silence. La Mère regarde la bibliothèque. Monique/Kaokab est perdue dans ses pensées.*

LA MÈRE

Dire que j'ai enlevé la poussière des livres pendant quatre ans, trois fois par semaine.

MONIQUE/KAOKAB

... Quoi?

LA MÈRE

C'était mon travail: enlever la poussière des bibliothèques. Juste un peu après ta visite, je suis allée travailler en ville, dans une maison de riches. On ne m'appelait plus Mariam. Marie! Marie! C'est comme ça que j'ai appris le français. Par la force!

MONIQUE/KAOKAB

Moi aussi, j'ai appris par la force.

LA MÈRE

Toi, ce n'est pas pareil! Tu as émigré. Moi, j'étais dans mon propre pays et j'étais obligée de parler une autre langue. Je me disais: «Ce n'est pas possible, ce n'est pas possible! Un jour, ça va...»

MONIQUE/KAOKAB

Tu sentais ça venir, toi aussi.

LA MÈRE

J'avais juste à regarder la bibliothèque! Non seulement plusieurs livres étaient des faux, des livres en carton-pâte, avec de belles reliures et rien dedans, mais les vrais étaient, tous, en langues étrangères. Pendant toutes ces années, jamais personne n'est venu prendre un livre, pour le feuilleter, le lire, le toucher, lui dire bonjour. Jamais! Moi, j'aime mieux lire dans ma langue. J'ai eu beau chercher, pour en lire moi-même, au moins, je n'en ai trouvé aucun. Pas un! On aurait dit que nous n'existions pas, que personne n'avait laissé de traces. Il n'y avait rien de nous, pas même un conte populaire... À regarder ta bibliothèque, j'ai le même sentiment... Il n'y a aucun livre dans notre langue!

MONIQUE/KAOKAB

Mais je ne sais pas lire notre langue.

LA MÈRE

Pourquoi tu n'as pas appris? Tu n'en voyais pas l'importance? Tu as été séduite, toi aussi. Conquise.

MONIQUE/KAOKAB

On m'a poussée dans le train en marche, c'est tout. Je n'ai pas choisi d'émigrer. On ne m'a pas demandé mon avis!

LA MÈRE

Le destin ne nous demande jamais notre avis. C'est ça, la règle. Mais toi, tu veux me faire croire que c'est possible de choisir. Même sa propre mort!

MONIQUE/KAOKAB

Dans la vie, ce n'est jamais blanc ou noir.

LA MÈRE

Il y a l'irréversible.

MONIQUE/KAOKAB

Tu parles toujours de la mort. Il n'y a pas que la mort. La mort, c'est simple, mais la vie...

LA MÈRE

(Elle reçoit la phrase comme un coup de couteau.) La mort, c'est simple! Quand tu seras touchée dans ta propre chair, tu m'en parleras, pas avant!

MONIQUE/KAOKAB

Mais je suis touchée dans ma propre chair. Chaque fois que quelqu'un meurt, arraché à la vie, c'est moi qui meurs un peu, chaque fois que quelqu'un a faim, j'ai faim, moi aussi... Chaque fois que quelqu'un est humilié, je le suis...

LA MÈRE

Mensonges! Tirades d'écrivain! Quand tu as faim, tu ouvres ton armoire, et tu manges! Quand tu vois des gens mourir, c'est à la télévision. Tu te lèves. Tu peux encore te lever, toi! Tu peux encore bouger la main. Eux non! C'est fini pour eux. Toi, tu te changes les idées et tu continues à vivre.

MONIQUE/KAOKAB

Je ne peux quand même pas mourir pour vrai!

LA MÈRE

C'est bien ce que je dis: tout ça, c'est dans ta tête.

MONIQUE/KAOKAB

Ma tête, c'est moi. Je peux pas couper ma tête!

LA MÈRE

La compassion, c'est quand on sort de sa tête, c'est quand on fait un geste.

MONIQUE/KAOKAB

Mais quel geste? Il y a tant de gestes à faire!

LA MÈRE

Tu aurais pu venir, mais tu avais peur de mourir, peur de mourir pour vrai.

MONIQUE/KAOKAB

Mais tu ne comprends pas, tu ne comprends pas que prendre les armes, c'était impossible. Prendre parti, c'était impossible.

LA MÈRE

Il y avait bien d'autres choses à faire que de prendre les armes. Tu as préféré ne rien faire.

MONIQUE/KAOKAB

Ne rien faire, c'est pire encore.

LA MÈRE

Ce n'est pas vrai! La preuve, tu es encore vivante, eux, ils sont morts! Personne pour leur donner un verre d'eau avant de mourir. Personne! Ils sont morts, et toi, tu respires encore.

MONIQUE/KAOKAB

(Comme une noyée qui tente de s'accrocher.) Non, non, non! Ce n'est pas vrai! Je n'arrive plus à respirer. C'est mon pays d'enfance, moi aussi. C'est mon enfance, moi aussi. Mes pieds courent encore là-bas, sur la terre rouge. Je dois les couper à jamais ou les revisser à mon corps, si je veux vivre. Est-ce que tu comprends? Je me protège pour ne pas mourir tout à fait, mais plus je me protège, plus je m'éloigne de ce magma de sang et plus je m'enfonce dans un magma imaginaire, dans un magma de mots. Prendre un fusil, c'est tellement plus facile. On n'a rien à comprendre. On le fait, c'est tout! On tue, on se fait tuer. C'est tout. Moi, je veux comprendre. Je veux comprendre! Pourquoi ce merdier? Pourquoi toute cette misère? Pourquoi? Depuis des années, je n'arrive plus à me caler tranquillement dans mon fauteuil sans penser que quelque part dans le monde des corps brûlent, des êtres sont déchiquetés, des êtres ont faim, des êtres sont humiliés, emprisonnés, violés, torturés, au même instant où j'essaie de me caler dans mon fauteuil, des bouches s'ouvrent et crient, et je me bouche les oreilles, parce que je ne peux rien faire d'autre. Je veux comprendre... *(Son ton change.)* Oui, j'ai peur! Oui. J'ai peur de mourir. Je ne veux pas mourir pour rien. Je ne veux pas mourir pour rien. Je ne veux pas mourir avant d'avoir écrit. Je ne veux pas mourir avant d'avoir compris!

LA MÈRE

Il n'y a rien à comprendre. C'est le destin des humains.

MONIQUE/KAOKAB

Non, non, non! Le destin, c'est trop facile à dire. Je veux que le bonheur soit possible! Je veux transformer notre destin. Christ de pièce! Est-ce que je vais finir par en venir à bout!

La Mère

De quoi tu parles?

Monique/Kaokab

De cette christ de vie que l'on arrive pas à vivre! La paix, c'est fini! Le repos, c'est fini! Pour tout le monde, pays en paix ou pays en guerre, et pas seulement pour moi! Notre pensée est constamment court-circuitée, notre planète, mille fois plus complexe que mon ordinateur, où chaque puce, chaque fourmi, chaque humain, chaque arbre a sa place, son importance! Nous sommes liés, pris dans un pain... *Je veux que le bonheur soit possible...*

La Mère

Le bonheur!

Monique/Kaokab

(Elle est déchaînée.) Oui! Le bonheur, oui, le bonheur de vivre, de se sentir vivant, tout bêtement, comme un chat qui fait le dos rond tant qu'il peut encore bouger! On sait trop de choses et pas assez... Se fermer les yeux fait aussi mal que de les ouvrir... Mon voisin d'en face habite l'autre continent, peut-être, mais c'est mon voisin quand même. J'ouvre les yeux, mais je ne sais pas quoi faire... Il y a trop de choses à faire... Chaque pays en guerre est mon pays... Je veux que le bonheur soit possible... Être conscient des autres ne doit pas nous empêcher de vivre. Le bonheur n'est pas une honte... Le bonheur n'est pas une honte... Il fait respirer la vie, comme les arbres font respirer la terre...

La Mère

(Cynique.) C'est pour ça que tu n'es pas venue nous voir, tu avais ton petit bonheur à préserver?!

Monique/Kaokab

(Elle éclate.) Mais t'es vraiment chiante! Tu ne comprends rien. Tu parles de compassion et tu es incapable de te mettre à ma place, même pas une seconde. Comprendre, c'est prendre l'autre dans ses bras ne serait-ce qu'une seconde, le serrer tendrement, même en pensée! Tu n'as plus de place, tu es pleine de ton malheur et tu ne veux pas en céder un centimètre. Tu en es fière. Ça te grandit. Ça te rend supérieure. Ça te donne tous les droits. Dans ta robe rouge flamboyante, tu souffres! Tu n'as pas voulu porter son deuil, parce que tu ne veux pas faire le deuil. Faire le deuil, Mariam, ça veut dire laisser une petite place à la vie qui continue, arrêter de faire chier le monde avec ton malheur! Ça veut dire accepter de vivre! Accepter la vie avec les morceaux qui manquent.

La Mère

Jamais! Tu m'entends. Jamais.

Monique/Kaokab

Tu dois le faire. Je dois le faire, moi aussi.

La Mère

Fais-le si tu veux. Moi, non!

MONIQUE/KAOKAB

Mariam, la vie c'est pas un concours de qui va souffrir le plus. Si c'est ça, rassure-toi, beaucoup de gens souffrent, beaucoup trop, et ils n'ont même pas le plaisir de mettre le doigt sur leur plaie. Ils saignent par en dedans.

LA MÈRE

Je saigne par en dedans, moi aussi.

MONIQUE/KAOKAB

Toi, au moins, tu sais pourquoi, tu as une raison de souffrir! C'est toi qui as de la chance, pas nous! Tous ceux que tu vois tranquillement marcher sous les flocons de neige, ils ne savent pas pourquoi ils souffrent, pourtant, ils souffrent, eux aussi!

LA MÈRE

Ici, personne ne sait ce qu'un pays en feu veut dire, personne ne sait ce qu'un enfant enterré vivant veut dire.

MONIQUE/KAOKAB

Tu prends les gens pour des trous de cul? Ils savent! Ils savent! Ils essaient d'oublier, c'est tout. Sans ça, la vie serait insupportable. Elle l'est déjà assez. Tu devrais le savoir, toi! *Innsèn,* dans notre langue, ça veut dire «humain» et «oublier», en même temps, le même mot. Si les humains n'arrivaient pas à oublier un peu, ils crèveraient ou deviendraient fous, si on se laissait aller à sentir à sa pleine capacité, on crèverait ou on deviendrait fou. On oublie... on oublie... On est obligé d'oublier... mais ça ne sert à rien... on est rongé quand même, on est empêché de vivre quand même, on crève de solitude... quand même... On oublie, mais ça ne sert à rien... Entre toi, Samira, et chacun de nous, il y a un fil invisible, quoi que l'on fasse... *(Les yeux fermés, comme pour une prière.)* Je veux écrire ce lien invisible. Il faut que j'écrive l'invisible.

Samira marche sur une corde raide tendue au-dessus de la salle.

SAMIRA

Quand Amal vivait, ça allait. Ça pouvait encore aller. Les jours où l'école n'était pas fermée, on se voyait, quand les téléphones n'étaient pas coupés, on se parlait. Ça allait... On s'habitue à tout... ou presque... Je voulais faire un film là-dessus. Le sujet était tout trouvé: deux amies qui réussissent l'impossible, c'est-à-dire «affronter l'adversité dans la bonne humeur». C'était dans *Les Ripoux,* ça. Non, non, je voulais pas faire *Les Ripoux 2.* Je voulais juste montrer comment deux filles ordinaires arrivent à passer par-dessus tout, tout, tout, parce qu'elles s'aiment. J'avais pas besoin d'inventer, juste raccourcir nos vies et nos conversations. On aurait vu les rues de la ville avec plein d'enfants dedans, les maisons, ce qu'il en restait, on aurait vu les blessés, les nouveaux immeubles, un peu partout pour remplacer les croulants; les morts, on ne les aurait pas vus. Un corps se décompose vite, ça pue plus vite encore, faut dire. De belles images, avec le visage de mon amie

Amal en surimpression, avec ses grands cheveux qui brillent au soleil. Un bon petit film à petit budget, facile à faire. C'est Amal qui aurait eu le plus grand rôle. Peut-être que je me serais fait remplacer, parce que c'est dur d'être dedans et dehors en même temps. Woody Allen fait ça, mais lui, il est habitué! Moi, ç'aurait été mon premier film... Ma mère était contente que je devienne cinéaste. Elle n'aime pas lire, mais regarder des films, elle aime ça. Mon père trouvait que c'était un métier d'homme. «Comme faire la guerre?» que je lui ai dit. Il n'a pas insisté. Mon père, c'est ça que j'aime en lui, il n'insiste jamais quand il sait qu'il n'a pas raison. Il est vraiment *cool*. Il a juste dit: «On verra, *inchallah*[15]... Il disait ça en espérant que la *(elle épelle)* g-u-e-r-r-e nous sacre un jour patience. Y avait de quoi prier! Cent ans, ç'a déjà existé, pour une guerre! Je l'ai appris à l'école. La guerre du Viêt-nam, je l'ai apprise dans les films: les Américains revenaient en morceaux, puis en faisaient des films. C'est pas ceux qui revenaient en morceaux qui faisaient les films. Non. Eux, ils étaient en morceaux! La preuve, c'est pas ma mère qui va faire un film sur la guerre, c'est ma tante. Pourtant... Je ne sais pas si ça donne quelque chose de faire des films ou des pièces de théâtre... ou des livres... Je ne sais pas... Ça fait pas assez longtemps que je suis ici... Est-ce que ç'a déjà fait reculer un char d'assaut? Est-ce que ç'a déjà empêché un avion de lancer ses cochonneries? Est-ce qu'une bombe a déjà rebroussé chemin à cause d'un livre, d'une pièce de théâtre ou d'un film? Non? C'est bien ce que je pensais! Ça défoule ceux qui le font! Ah! ça oui, c'est sûr!

---

15. Si Dieu le veut.

Y a des filles et des gars qui ont fait des films sur nous,
en Europe, en Amérique, mais nous, on les a jamais
vus, ces films-là. C'est fait pour sensibiliser l'opinion.
Sensibiliser l'opinion... Vu d'en haut, c'est la plus belle
farce...

Noir

On entend un solo de nay *(flûte orientale)*.

V

C'est la nuit. Monique/Kaokab marche de long en large, puis revient à son jeu de patience déjà ouvert sur la table. La Mère s'approche.

LA MÈRE

Tu n'arrives pas à dormir?

MONIQUE/KAOKAB

Je n'arrive pas à écrire. Je fais mes jeux de patience...

LA MÈRE

J'en ai tant vu pendant la guerre... des gens, assis devant leurs jeux de patience...

MONIQUE/KAOKAB

Ça aide à passer le temps... à voir le temps passer... à arrêter le temps... Ça m'inspire... Chaque fois que j'ouvre mon jeu, une nouvelle vie s'ouvre devant moi. Il y a ce qui est caché, ce qui est donné ou ce que tu dois prendre avec acharnement ou avec patience. La stagnation, c'est ce qu'il y a de pire. Ça fait au moins 20 ans que je joue, et je n'ai pas eu deux fois le même jeu, la même combinaison, la même vie, jamais! Mais c'est toujours la même fin. De la plus belle vie à la vie la plus épouvantable, chacune va rejoindre le troupeau des morts. Sans exception. Et je brasse les cartes de nouveau. Un jour, j'écrirai l'histoire de chaque jeu que j'ouvrirai. Un livre pour chaque vie. Chaque vie en vaut la peine.

LA MÈRE

Ouvre-moi la vie de Samira!

MONIQUE/KAOKAB

Samira est morte! Tu ne peux pas toujours vivre comme si elle était vivante.

LA MÈRE

T'occupe pas de ça! C'est mon affaire. Tout ce que je te demande, c'est de raconter. C'est ton métier, oui ou non? Tu fais vivre des lieux, des personnes, des choses, alors vas-y! Raconte la vie de Samira!

MONIQUE/KAOKAB

Je n'ai pas appris à raconter. J'ai appris à écrire... une autre langue.

LA MÈRE

C'est entre nous. Je ne vais pas enregistrer tes paroles... C'est juste pour passer la nuit...

MONIQUE/KAOKAB

Conter et écrire, ça n'a rien à voir!

LA MÈRE

Je peux commencer, si tu veux. Je vais te raconter ton histoire.

MONIQUE/KAOKAB

Mon histoire, je la connais.

LA MÈRE

Mais moi, je ne la connais pas. Je vais te la raconter pour la connaître.

MONIQUE/KAOKAB

J'aime mieux mes jeux de patience...

LA MÈRE

Joue! Moi, je vais raconter... *(Empruntant la technique du conteur.)* Il était une fois... dans un lointain pays... un pays sans nom et sans frontières... une petite fille nommée...

MONIQUE/KAOKAB

(La coupant, bourrue.) Mon pays avait un nom...

LA MÈRE

Joue si tu veux, mais ne m'interromps pas! Dans un pays sans nom, et sans frontières, naquit une petite fille qui n'avait pas reçu de nom. Cette petite fille était la huitième de la famille. La huitième fille! Ses sœurs avaient toutes reçu le nom de leurs grand-mères et de leurs arrière-grand-mères. L'une des arrière-grand-mères, qu'Allah lui pardonne, était morte très jeune et tout le monde avait oublié son nom. Bien que les habitants de ce pays avaient bien d'autres choses à faire, tout occupés qu'ils étaient à survivre, par la grâce d'Allah, affrontant les sauterelles qui avaient ravagé impitoyablement toutes les récoltes, et les envahisseurs plus impitoyables encore qui mangeaient tout ce que les sauterelles avaient eu la grandeur d'âme d'oublier... Tous les habitants de ce pays, du plus petit au plus grand, du soir au matin et du matin au soir, tous cherchaient inlassablement le nom de l'arrière-grand-mère... La petite fille sans nom, qu'Allah lui vienne en aide, attendait, attendait... Un jour, alors que ...

MONIQUE/KAOKAB

Je vais aller dormir.

LA MÈRE

Tu te défiles, tu ne veux pas me raconter l'histoire de Samira.

MONIQUE/KAOKAB

Elle est morte!

LA Mère

Justement! Parce qu'elle est morte!

MONIQUE/KAOKAB

Ça ne la fera pas revivre!

LA Mère

(Colère, douleur.) Non, ça ne la fera pas revivre, mais je veux entendre son nom par d'autres bouches que la mienne. Je ne veux pas être la seule à me souvenir. Je ne veux pas être toute seule à me souvenir qu'elle a existé, qu'elle était vivante, vivante, belle à couper le souffle, drôle à faire oublier son pays à un étranger, brillante comme la rosée du matin, sa voix transperçait la noirceur de nos vies, elle était vivante, ils me l'ont tuée, ils me l'ont tuée...

MONIQUE/KAOKAB

(La prenant dans ses bras.) Arrête de te torturer. Arrête! Tu ne peux pas demander au monde de souffrir à ta place, personne ne peut se souvenir à ta place. Tu es ta propre mémoire et tu vas mourir avec elle.

LA Mère

(Dans un cri.) Non! Je ne veux pas que cette mort se perde. Je veux que sa mort serve la vie. Je veux que son corps mêlé à mes pleurs serve d'engrais à notre mémoire. Je veux que son sang refleurisse. Je veux...

MONIQUE/KAOKAB

Moi aussi, je veux, *ya oum* Samira, mais quoi faire...

LA MÈRE

(Avec force.) Kaokab, si tu ne sais pas raconter, écris.
Écris dans n'importe quelle langue, écris!

MONIQUE/KAOKAB

(Impuissante.) J'essaie, j'essaie, je n'y arrive pas. Tout
ce que j'écris est en deçà de cette boule qui me ronge
l'estomac, en deçà de cette lave qui gruge le monde. Je
sais que la mémoire ne se transmet que par l'art, par la
littérature, la vraie. Je n'y arrive pas!

LA MÈRE

Il faut que tu y arrives. Il le faut!

MONIQUE/KAOKAB

Je ne peux pas... je ne peux pas...

> *La Mère court vers la table de travail. Elle
> déplace les papiers avec fureur.*

LA MÈRE

Tous ces mots?! Tous ces mots?! Il doit bien y en avoir
un en forme de couteau, plus fort que le silence d'un
mort!

La Mère tombe sur un texte et se met à le lire.
Elle découvre les mots au fur et à mesure, s'ar-
rête parfois et regarde sa cousine comme si elle
ne l'avait jamais vue...

LA MÈRE

J'ai appris la guerre à travers un verre déformant
à travers les images, les rêves, les cauchemars, la culpa-
bilité
j'ai appris la guerre à travers chacun des miens qui se
dépaysaient
s'exilaient
l'un après l'autre
et ceux qui ne pouvaient s'enfuir
et ceux qui gardaient l'espoir aveugle

j'ai appris la guerre en renonçant à regarder
j'ai appris la guerre en renonçant à voir et à entendre
j'ai appris la guerre en me bouchant les oreilles
en faisant semblant de continuer à vivre
j'ai appris la guerre en la reniant, en l'annihilant, en
déchirant les journaux
j'ai appris la guerre malgré moi, en la refusant
j'ai appris la guerre de mon pays d'enfance
de mon village rouge et paisible
territoire déchiqueté, occupé

J'ai appris que l'innocence est morte à jamais
que les corps éventrés servent de barricades
entassés les uns sur les autres, formant des montagnes
odorantes

Je me demande, assise à ma table
je me demande, qu'ont-ils fait de tous ces corps puants

je me demande, assise à ma table, est-ce qu'on finit par
ne plus sentir les cadavres
est-ce qu'un cœur a la même odeur qu'un pied, un œil,
un intestin
les mouches, les cafards, les rats aiment-ils la chair fraî-
chement éventrée
les mouches, les cafards, les rats attendent-ils que l'âme
se détache et monte
l'âme arrive-t-elle à se frayer un chemin à travers l'asphalte qui fume
l'âme suffoque-t-elle, elle aussi

Je me demande, assise à ma table, bien cramponnée à
mes indispensables objets, je me demande, y a-t-il encore des chiens et des chats dans les rues de Beyrouth,
Babylone, Bethléem
les chats et les chiens aiment-ils lécher le sang humain
les chats et les chiens se sont-ils habitués aux coups de
canons, aux bombardements, aux mitraillettes, aux cris
d'enfants, aux cris de morts, aux cris de celle qui vient
de perdre son premier enfant
le cri change-t-il ses modulations quand le troisième ou
le quatrième enfant rend à l'asphalte ses dernières
gouttes de sang
le père, la mère, la grand-mère ont-ils encore des larmes
où se cachent-elles
le corps un jour donne-t-il sa démission et dit-il: je n'ai
plus envie de me battre
la vie est-elle plus forte que la mort
Y a-t-il encore des fleurs qui poussent dans les boîtes
en fer-blanc sur les balcons de Bethléem, Bagdad, Beyrouth
Y a-t-il encore des fenêtres en vitre
Y a-t-il encore des enfants qui jouent dans les rues

Attendent-ils que l'on enlève les morts ou les tirent-ils en groupe pour jouer, pour en faire des remparts de chair humaine

Leurs ballons sont-ils à jamais tachés de sang

Dans les rues de centaines de villes à travers le temps, trillions de mouches ont sucé le sang frais de milliards de corps abattus par leurs frères, tandis que leur sœur, assise à sa table, écrit ou n'écrit pas, pleure et se tait
dans les rues de centaines de villes et de villages qui brûlent à travers la terre, les mouches, les rats, les blattes, les bébittes de toutes sortes se pourlèchent, attendant leur proie
dans les bureaux de dizaines de villes à travers le monde, des rats se pourlèchent, attendent leur dû en yens, en marks, en dollars, en francs, en lires et en livres
dans les rues de centaines de Babylone à travers la planète, les rats, les mouches et les cafards sucent les orteils des enfants qui n'arrivent pas à les repousser et moi j'écris ou je n'écris pas
je pleure et je me tais

Dans les maisons de centaines de villes, des enfants ouvrent grand leurs armoires et se grattent la tête en cherchant le jeu qui les divertira pendant les cinq minutes à venir et moi j'écris ou je n'écris pas je pleure et je me tais
et dans ces mêmes villes des poubelles sont là toutes bien peinturées, garde-manger de milliers de personnes qui n'en sont presque plus
sans nom, sans adresse, sans pays
ils sont comme je suis aujourd'hui, je n'écris plus
je ne pleure plus
je me tais

Un long silence.
Monique/Kaokab retourne à sa table et fait ses
jeux de patience.
La Mère rôde, elle semble nue sans son tapis.

LA MÈRE

Je n'ai pas entendu le nom de Samira.

MONIQUE/KAOKAB

Elle est pourtant dans chaque mot. Chacun de mes mots parle de la mort. En français, mot et mort ont la même résonance... Une seule petite lettre diffère et je m'y accroche.

LA MÈRE

Kaokab, parle-moi de Samira, je veux entendre son nom.

MONIQUE/KAOKAB

Tu le veux vraiment?

LA MÈRE

Oui, je le veux.

MONIQUE/KAOKAB

La vraie Samira? Ton enfant? Mon enfant? L'enfant de la terre entière?

La Mère

Oui, je le veux.

Monique/Kaokab

(Fermement, solennellement, en détachant chaque syllabe.) Ya oum Samira, Samira, ta fille, notre enfant, a marché la tête haute, les yeux grands ouverts, le pas droit et ferme, vers la mort. Elle a choisi sa propre mort.

La Mère hoche de la tête. Désemparée.

Monique/Kaokab

Samira a choisi sa propre mort.

La Mère

Khawta bil marra! khawta bil marra[16]*!* Tu es folle, complètement folle!

La Mère va chercher son tapis et veut s'en aller. Monique/Kaokab la retient. Elle essaie de lui enlever son tapis. La Mère résiste.

Monique/Kaokab

Samira ne voulait pas mourir à petit feu. Elle ne voulait pas mourir grignotée par la fatalité. Elle voulait mourir pour vrai. Elle voulait faire un choix, une petite fois, au moins, dans sa vie.

_____

16. Tu es complètement folle.

SAMIRA

Non. Moi, j'ai dit non.
On s'habitue à tout, même à l'habitude d'espérer.
Non.
Quand mon amie Amal est morte, j'ai dit non.
C'est Amal qui a fait basculer ma tête, crevé mes pou-
mons, troué mon cœur, coupé mes pieds, arraché ma
langue.
C'est Amal qui a choisi pour moi.
Est-ce qu'elle a choisi, elle?
Je vivais dans la fange, dans le fumier humain.
Me résigner ou mourir?
J'ai cassé le contrat que j'avais avec la vie. Elle n'avait
pas respecté sa part du contrat, je ne vois pas pourquoi
j'aurais eu à respecter la mienne.

MONIQUE/KAOKAB

Quand Amal est morte, Samira a compris qu'elle ne
pourrait plus vivre... Samira ne voulait pas se résigner...

LA MÈRE

Qui ça, Amal?

MONIQUE/KAOKAB

Son amie qui est morte torturée, violée, déchiquetée.
Celle qu'il a fallu attacher pour la mettre dans sa tombe.
Samira l'a vue avec des yeux ouverts... Elle l'a vue...

LA MÈRE

Samira n'avait pas d'amie qui s'appelait Amal.

MONIQUE/KAOKAB

Elle s'appelait Amal-Anne-Amira-Suzanne-Salam-Sylvie, peu importe...

LA MÈRE

Y a pas de peu importe. Si tu ne le sais pas, tais-toi!

MONIQUE/KAOKAB

Mais c'est toi qui voulais...

LA MÈRE

(Avec rage.) Parler, ce n'est pas mentir, écrire, c'est dire la vérité.

> *Monique/Kaokab prend ses feuilles et lit. Sa voix se transforme peu à peu. Elle ressemble à Samira.*

MONIQUE/KAOKAB

Ce matin-là, je suis partie pour l'école, avec mes frères et sœurs, comme les autres jours d'accalmie. Ma mère nous a fait des *aarouss*[17]. Elle appelait ça, *aarouss*, comme au village, et pas sandwich comme tout le monde... Des olives noires enroulées dans du pain avec quelques gouttes d'huile d'olive. Le même sandwich depuis des années. On bougonnait des fois, juste pour dire: «Oh non! pas encore des olives, toujours des olives!»

---

17. Sandwichs.

«Si vos grands-parents n'avaient pas d'oliviers, disait ma mère, je ne sais pas ce qu'on ferait. *Noushkor Allah*, on a encore des olives, *noushkor Allah!* et c'est très bon pour la santé.» Ce jour-là, personne de nous n'a parlé. Moi, ça faisait bien longtemps que je ne parlais plus... On attendait l'autocar. Ma mère était sur le balcon. On habite un quatrième.

J'ai regardé chez nous... pour la dernière fois... ça faisait longtemps que je n'avais plus regardé autour de moi... J'ai vu ma mère caresser sa plante odorante, approcher les mains de son nez, respirer, les yeux fermés. Elle a respiré longtemps. Soudain, elle a ouvert les yeux, comme piquée par une abeille, elle s'est penchée vers nous, elle m'a vue, elle m'a regardée...

MONIQUE/KAOKAB et SAMIRA

... Elle m'a regardée...

SAMIRA

... et je suis montée dans l'autocar. Il y avait un cessez-le-feu, ce jour-là. Le 942ème... Tout le monde faisait semblant d'y croire... Les mensonges qu'on est obligé de gober pour arriver à... Cette fois-là, je ne sais plus si c'était un plan américain-européen-japonais-chinois-russe, un plan de l'ONU-des alliés-des amis-des ennemis... Depuis longtemps, on ne savait plus qui était l'ami de qui et qui était l'ennemi de qui. À croire que c'était Belzébuth en personne qui tenait la caméra. Des plans panoramiques à balayage rapide de 360°, il est le seul à pouvoir les réussir à répétition... Les humains... faut dire, avec ou sans Satan, ont toujours eu plus de talent pour les plans de guerre que pour les plans de paix. Le nombre de caméras et d'effets spéciaux pour les gros films à grand déploiement... Pour les films... sur la vie... une petite caméra de rien, avec à peine quelques spots pour éclairer la face des acteurs. *(Un temps.)* Moi... j'ai choisi de faire mon propre film, d'inventer mes propres plans, de voir avec mes propres yeux... ou de ne plus voir du tout.

La Mère

C'est impossible! Impossible. Samira aimait trop la vie pour...

Monique/Kaokab

C'est peut-être pour ça... parce qu'elle aimait trop la vie...

La Mère

Non non non non non non non. Ils l'ont tuée. Ils l'ont tuée. Ils lui ont ar-ra-ché la vie.

Monique/Kaokab

Ils l'ont tuée. C'est vrai. Si elle avait vécu dans un autre pays, Samira n'aurait pas marché vers la musique des bombes, vers cette musique qu'elle connaissait bien, elle n'aurait pas couru, de rue en rue, de ruelle en ruelle, pour trouver l'engin mortel. Non! Samira, comme tant d'autres qui aiment trop la vie, qui n'arrivent pas à se résigner, serait doucement rentrée, elle aurait fermé la porte à double tour, elle aurait rempli le bain d'eau très chaude, elle aurait pris un tout petit objet luisant qui ne fait pas de bruit et elle aurait coulé dans la chaleur de l'eau... Elle a coulé dans la chaleur... tranquillement... *ya oum* Samira... ton enfant, mon enfant, l'enfant de la terre a coulé, emportée par la chaleur de la lave.

LA MÈRE

Tu veux vraiment m'achever...

MONIQUE/KAOKAB

Non, je veux seulement comprendre... Qu'est-ce qui nous attire tant dans la vie... dans toute cette misère? Pourquoi un jour on dit non? Pourquoi on tire la ligne, ce jour-là? Pourquoi c'est ce jour-là que l'on coupe le fil, à cette minute-là? On a toutes les raisons de dire non des milliers de fois... pourquoi... à cette seconde-là... on ne peut plus, on ne veut plus continuer?

> *La Mère marche. Elle est complètement défaite. Pendant ce temps, Monique/Kaokab déroule son tapis, très lentement. Elle y dépose un plateau de pommes. Elle s'assoit après avoir invité la Mère qui vient finalement la rejoindre sur le tapis. Les deux femmes se regardent longuement. Monique/Kaokab tend les bras. La Mère lui donne son tapis. Monique/Kaokab le berce en chantant une plainte, sur l'air de Abou-Zoulouf.*

MONIQUE/KAOKAB

*(Chantant.) Hayhat ya bou zoulof
Aayni ya moulaya*

ya alb safér maou
ta trajéou léya
la tahzané aal héjr
ya aayné la dhoubé
mahma yaghéb el badr
wa aatémo d-droubé [18]

LA MÈRE

(Avec un sourire triste.) Tu n'as pas tout oublié...

> *Monique/Kaokab sourit. Un long silence.*
> *Monique/Kaokab demande à la Mère la per-*
> *mission d'ouvrir le tapis. La Mère accepte.*
> *Monique/Kaokab déroule le tapis, le regarde,*
> *le caresse avec une tendresse infinie.*

MONIQUE/KAOKAB

Il est beau.

LA MÈRE

Samira ne s'en séparait jamais.

MONIQUE/KAOKAB

Il est très beau.

---

18. Cette chanson folklorique libanaise commence toujours par deux phrases qui ne peuvent être traduites. Le couplet se lit à peu près comme suit: «Mon cœur, va avec lui pour me le ramener. Ne sois pas triste de l'exil, ne fond pas en larmes, en dépit de la noirceur de la lune et de l'obscurcissement des chemins.»

LA MÈRE

Le tien, aussi, est beau.

MONIQUE/KAOKAB

C'est celui que ma mère a apporté avec elle en venant ici. Elle l'avait reçu de ses parents le jour de son mariage. On a dormi dessus pendant plus d'an. Après, on a eu des lits. *(Un temps.)* Tu veux une pomme?

LA MÈRE

Je veux du raisin de notre verger, je veux le manger avec des mains pleines de terre, je veux voir l'horizon, loin, loin jusqu'à la troisième montagne... Je veux être petite et recommencer, tout effacer et recommencer.

MONIQUE/KAOKAB

Prends cette pomme, regarde comme elle est belle. Elle a poussé ici. Tu peux y goûter, au moins.

LA MÈRE

Est-ce qu'il peut pousser des fruits, ici, avec toute cette neige?!

MONIQUE/KAOKAB

Un jour, la neige finit par fondre.

LA MÈRE

Tu crois?

MONIQUE/KAOKAB

Tout finit par finir!

LA MÈRE

Est-ce que la vie de Samira était finie?

MONIQUE/KAOKAB

Sa vie a été arrachée à la vie, ce n'est pas pareil! C'est un cycle anormal... qui dure depuis des siècles et des siècles.

LA MÈRE

Kaokab, dis-moi, est-ce que tu crois qu'il y a encore de la place dans nos os?... Est-ce que la souffrance se dissout à mesure... à mesure qu'elle rentre en nous... Est-ce qu'elle se dissout... pour faire de la place à ce qui va venir?

MONIQUE/KAOKAB

On ne peut pas tout effacer et recommencer... Il faut continuer. Rentrer de plain-pied dans la fêlure et la transformer. De croire que je peux transmettre ma mémoire et la mémoire des miens est pure vanité... Il le faut pourtant... Ne pas me laisser broyer... La souffrance est partout, ici, là-bas, partout... La vie est partout, ici, là-bas, partout... On la tue par ignorance... partout, à chaque instant... Ne pas nous laisser noyer... Rentrer dedans et en ressortir... vivants... Écrire... pendant que je suis encore vivante...

Monique/Kaokab tend de nouveau le plateau
de pommes. La Mère en prend une, la fait rou-
ler dans ses mains, la porte à son nez, elle la
sent en fermant les yeux...

SAMIRA

Dans le ventre de ma mère, j'ai appris à compter, à chanter, à m'habituer. Dans le ventre de la terre, j'apprends à rire. Seule. Personne ne m'apprend, personne ne m'entend. *Es sabr méftèh el faraj* [19]... La patience est la clé de la lumière...

Depuis le début de la scène du plateau de
pommes, des corps tombent.
Ils viennent d'en haut (tiroirs, bibliothèque,
plafond).
Ces corps tombent les uns sur les autres, for-
mant une montagne de chair humaine.
Le rythme de la chute des corps va en s'accélé-
rant.
Ces corps, en tombant, frôlent parfois Moni-
que/Kaokab et la Mère qui continuent...
Progressivement, les corps se lèvent,
remontent,
et tombent de nouveau,
sur une musique belle à couper le souffle...

Noir

---

19. La patience est la clé de la lumière.

CET OUVRAGE
COMPOSÉ EN GARAMOND CORPS 12 SUR 14
A ÉTÉ ACHEVÉ D'IMPRIMER
EN JANVIER DEUX MILLE TREIZE
SUR LES PRESSES DE MARQUIS IMPRIMEUR
POUR LE COMPTE DE
VLB ÉDITEUR.

IMPRIMÉ AU QUÉBEC (CANADA)